习近平在联合国成立75周年系列高级别会议上的讲话

人民出版社

目 录

在联合国成立75周年纪念峰会上的讲话

（2020年9月21日，北京）

中华人民共和国主席　习近平

主席先生，

各位同事：

75年前，世界人民经过浴血奋战，赢得世界反法西斯战争伟大胜利。这是正义的胜利、人民的胜利。

在上个世纪前半叶人类两度身历惨不堪言的战祸之后，联合国应运而生。联合国风雨兼程，走过了75年不平凡历程。世界和平与发展掀开新篇章。

——联合国的75年，是人类社会迅速发展的75年。我们经历了深刻广泛的科技发展和工业革命，正在迎来新一轮更大范围、更深层次的科技革命和产业变革,世界社会生产力得到极大解放和发展,人类战胜困难和改造世界的能力空前提高。

——联合国的75年,是国际形势深刻变化的75年。广大发展中国家赢得民族解放和国家独立,10多亿人口摆脱贫困,几十亿人口迈上现代化征程,极大增强了世界和平与发展的力量,深刻改变了世界格局。

——联合国的75年,是多边主义快速发展的75年。世界问题多得很、大得很,全球性挑战日益上升,应该也只能通过对话合作解决。国际上的事大家商量着办,同舟共济已经成为国际社会广泛共识。

风雨过后是彩虹。经历一次又一次考验,联合国仍然充满生机,寄托着70多亿人民对美好生活的向往,联合国宪章仍然是世界和平与发展的重要保障。

主席先生!

当今世界正经历百年未有之大变局,突如其来的新冠肺炎疫情对全世界是一次严峻考验。人类已经进入互联互通的新时代,各国利益休戚相关、命运紧密相连。全球性威胁和挑战需要强有力的全球性应对。

面对新形势新挑战,我们必须严肃思考:世界需要一个什么样的联合国？在后疫情时代,联合国应该如何发挥作用？我提几点建议。

第一,主持公道。大小国家相互尊重、一律平等是时代进步的要求,也是联合国宪章首要原则。任何国家都没有包揽国际事务、主宰他国命运、垄断发展优势的权力,更不能在世界上我行我素,搞霸权、霸凌、霸道。单边主义没有出路,要坚持共商共建共享,由各国共同维护普遍安全,共同分享发展成果,共同掌握世界命运。要切实提高发展中国家在联合国的代表性和发言权,使联合国更加平衡地反映大多数国家利益和意愿。

第二,厉行法治。联合国宪章宗旨和原则是处理国际关系的根本遵循,也是国际秩序稳定的重要基石,必须毫不动摇加以维护。各国关系和利益只能以制度和规则加以协调,不能谁的拳头大就听谁的。大国更应该带头做国际法治的倡导者和维护者,遵信守诺,不搞例外主义,不搞双重标准,也不能歪曲国际法,以法治之名侵害他国正当权益、破坏国际和平稳定。

第三，促进合作。促进国际合作是联合国成立的初衷，也是联合国宪章重要宗旨。靠冷战思维，以意识形态划线，搞零和游戏，既解决不了本国问题，更应对不了人类面临的共同挑战。我们要做的是，以对话代替冲突，以协商代替胁迫，以共赢代替零和，把本国利益同各国共同利益结合起来，努力扩大各国共同利益汇合点，建设和谐合作的国际大家庭。

第四，聚焦行动。践行多边主义，不能坐而论道，而要起而行之，不能只开药方，不见疗效。联合国要以解决问题为出发点，以可视成果为导向，平衡推进安全、发展、人权，特别是要以落实《2030 年可持续发展议程》为契机，把应对公共卫生等非传统安全挑战作为联合国工作优先方向，把发展问题置于全球宏观框架突出位置，更加重视促进和保护生存权和发展权。

中国是第一个在联合国宪章上签字的国家，是联合国创始会员国，也是安理会常任理事国中唯一一个发展中国家。我们将始终做多边主义的践行者，积极参与全球治理体系改革和建设，坚定维护以联合国为核心的国际体系，坚定维护以国际法为基础的国际秩序，坚定维护联合国在国际事务中的核心作用。

主席先生！

世界正站在一个新的历史起点上。让我们重申对多边主义的坚定承诺，推动构建人类命运共同体，在联合国旗帜下实现更大团结和进步！

谢谢。

在第七十五届联合国大会一般性辩论上的讲话

（2020 年 9 月 22 日，北京）

中华人民共和国主席　习近平

主席先生，

各位同事：

今年是世界反法西斯战争胜利 75 周年，也是联合国成立 75 周年。昨天，联合国隆重举行纪念峰会，铭记世界反法西斯战争历史经验和教训，重申对联合国宪章宗旨和原则的坚定承诺，具有重要意义。

主席先生！

人类正在同新冠肺炎疫情进行斗争。病毒肆虐全球，疫情不断反复。我们目睹了各国政府的努力、医务人员的付出、科学工作者的探索、普通民众的坚守。各国人民守望相助，展现出人类在重大灾难面前的勇气、决心、关爱，照亮了至暗时刻。疫情终将被人类战胜，胜利必将属于世界人民！

——面对疫情，我们要践行人民至上、生命至上理念。要调集一切资源，科学防治，精准施策，不遗漏一个感染者，不放弃一位患者，坚决遏制疫情蔓延。

——面对疫情，我们要加强团结、同舟共济。要秉持科学精神，充分发挥世界卫生组织关键领导作用，推进国际联防联控，坚决打赢全球疫情阻击战，反对政治化、污名化。

——面对疫情，我们要制定全面和常态化防控措施。要有序推进复商复市复工复学，创造就业，拉动经济，恢复经济社会秩序和活力，主要经济体要加强宏观政策协调，不仅要重启本国经济，而且要为世界经济复苏作出贡献。

——面对疫情，我们要关心和照顾发展中国家特别是非洲国家。国际社会要在减缓债务、援助等方面采取及时和强有力举措，确保落实好《联合国 2030 年可持续发展议程》,帮助他们克服困难。

75 年前,中国为赢得世界反法西斯战争胜利作出了历史性贡献,支持建立了联合国。今天,秉持同样的担当精神,中国积极投身国际抗疫合作,为维护全球公共卫生安全贡献中国力量。我们将继续同各国分享抗疫经验和诊疗技术,向有需要的国家提供支持和帮助,确保全球抗疫物资供应链稳定,并积极参与病毒溯源和传播途径全球科学研究。中国已有多支疫苗进入Ⅲ期临床实验,研发完成并投入使用后将作为全球公共产品,优先向发展中国家提供。中国将落实好两年提供20 亿美元国际援助的承诺,深化农业、减贫、教育、妇女儿童、气候变化等领域国际合作,助力各国经济社会恢复发展。

主席先生!

人类社会发展史,就是一部不断战胜各种挑战和困难的历史。新冠肺炎疫情全球大流行和世界百年未有之大变局相互影响,但和平与发展的时代主题没有变,各国人民和平发展合作共赢的期待更加强烈。新冠肺炎疫情不会是人类面临的最后一次危机,我们必须做好携手迎接更多全球性挑战的准备。

第一，这场疫情启示我们，我们生活在一个互联互通、休戚与共的地球村里。各国紧密相连，人类命运与共。任何国家都不能从别国的困难中谋取利益，从他国的动荡中收获稳定。如果以邻为壑、隔岸观火，别国的威胁迟早会变成自己的挑战。我们要树立你中有我、我中有你的命运共同体意识，跳出小圈子和零和博弈思维，树立大家庭和合作共赢理念，摒弃意识形态争论，跨越文明冲突陷阱，相互尊重各国自主选择的发展道路和模式，让世界多样性成为人类社会进步的不竭动力、人类文明多姿多彩的天然形态。

第二，这场疫情启示我们，经济全球化是客观现实和历史潮流。面对经济全球化大势，像鸵鸟一样把头埋在沙里假装视而不见，或像堂吉诃德一样挥舞长矛加以抵制，都违背了历史规律。世界退不回彼此封闭孤立的状态，更不可能被人为割裂。我们不能回避经济全球化带来的挑战，必须直面贫富差距、发展鸿沟等重大问题。我们要处理好政府和市场、公平和效率、增长和分配、技术和就业的关系，使发展既平衡又充分，发展成果公平惠及不同国家不同阶层不同人群。我们要秉持开放包容理念，坚定不移构建开放型世界经济，维护以世界贸易组织为基石的多边贸易体制，旗帜鲜明反对单边主义、保护主义，维护全球产业链供应链稳定畅通。

第三，这场疫情启示我们，人类需要一场自我革命，加快形成绿色发展方式和生活方式，建设生态文明和美丽地球。人类不能再忽视大自然一次又一次的警告，沿着只讲索取不讲投入、只讲发展不讲保护、只讲利用不讲修复的老路走下去。应对气候变化《巴黎协定》代表了全球绿色低碳转型的大方向，是保护地球家园需要采取的最低限度行动，各国必须迈出决定性步伐。中国将提高国家自主贡献力度，采取更加有力的政策和措施，二氧化碳排放力争于 2030 年前达到峰值，努力争取 2060 年前实现碳中和。各国要树立创新、协调、绿色、开放、共享的新发展理念，抓住新一轮科技革命和产业变革的历史性机遇，推动疫情后世界经济“绿色复苏”，汇聚起可持续发展的强大合力。

第四，这场疫情启示我们，全球治理体系亟待改革和完善。疫情不仅是对各国执政能力的大考，也是对全球治理体系的检验。我们要坚持走多边主义道路，维护以联合国为核心的国际体系。全球治理应该秉持共商共建共享原则，推动各国权利平等、机会平等、规则平等，使全球治理体系符合变化了的世界政治经济，满足应对全球性挑战的现实需要，顺应和平发展合作共赢的历史趋势。国家之间有分歧是正常的，应该通过对话协商妥善化解。国家之间可以有竞争，但必须是积极和良性的，要守住道德底线和国际规范。大国更应该有大的样子，要提供更多全球公共产品，承担大国责任，展现大国担当。

主席先生！

今年以来，14 亿中国人民不畏艰难、上下同心，全力克服疫情影响，加快恢复生产生活秩序。我们有信心如期全面建成小康社会，如期实现现行标准下农村贫困人口全部脱贫，提前 10 年实现《联合国 2030 年可持续发展议程》减贫目标。

中国是世界上最大的发展中国家，走的是和平发展、开放发展、合作发展、共同发展的道路。我们永远不称霸，不扩张，不谋求势力范围，无意跟任何国家打冷战热战，坚持以对话弥合分歧，以谈判化解争端。我们不追求一枝独秀，不搞你输我赢，也不会关起门来封闭运行，将逐步形成以国内大循环为主体、国内国际双循环相互促进的新发展格局，为中国经济发展开辟空间，为世界经济复苏和增长增添动力。

中国将继续做世界和平的建设者、全球发展的贡献者、国际秩序的维护者。为支持联合国在国际事务中发挥核心作用，我宣布：

——中国将向联合国新冠肺炎疫情全球人道主义应对计划再提供 5000 万美元支持；

——中国将设立规模 5000 万美元的第三期中国—联合国粮农组织南南合作信托基金；

——中国—联合国和平与发展基金将在 2025 年到期后延期 5 年；

——中国将设立联合国全球地理信息知识与创新中心和可持续发展大数据国际研究中心，为落实《联合国 2030 年可持续发展议程》提供新助力。

主席先生、各位同事！

历史接力棒已经传到我们这一代人手中，我们必须作出无愧于人民、无愧于历史的抉择。让我们团结起来，坚守和平、发展、公平、正义、民主、自由的全人类共同价值，推动构建新型国际关系，推动构建人类命运共同体，共同创造世界更加美好的未来！

在联合国生物多样性峰会上的讲话

（2020年9月30日，北京）

中华人民共和国主席　习近平

主席先生，

各位同事：

在联合国成立75周年之际，在各国致力于抗击新冠肺炎疫情、推动经济高质量复苏这一特殊时刻，联合国举办生物多样性峰会，大家共同探讨保护生物多样性、促进可持续发展的重大课题，具有现实而深远的意义。

中国将于明年在昆明举办《生物多样性公约》第十五次缔约方大会，同各方共商全球生物多样性治理新战略。

当前，全球物种灭绝速度不断加快，生物多样性丧失和生态系统退化对人类生存和发展构成重大风险。新冠肺炎疫情告诉我们，人与自然是命运共同体。我们要同心协力，抓紧行动，在发展中保护，在保护中发展，共建万物和谐的美丽家园。我建议：

第一，坚持生态文明，增强建设美丽世界动力。生物多样性关系人类福祉，是人类赖以生存和发展的重要基础。工业文明创造了巨大物质财富，但也带来了生物多样性丧失和环境破坏的生态危机。生态兴则文明兴。我们要站在对人类文明负责的高度，尊重自然、顺应自然、保护自然，探索人与自然和谐共生之路，促进经济发展与生态保护协调统一，共建繁荣、清洁、美丽的世界。

第二，坚持多边主义，凝聚全球环境治理合力。联合国成立以来，国际社会积极推进全球环境治理。《生物多样性公约》、《联合国气候变化框架公约》及其《巴黎协定》等国际条约是相关环境治理的法律基础，也是多边合作的重要成果，得到各方广泛支持和参与。

面对全球环境风险挑战，各国是同舟共济的命运共同体，单边主义不得人心，携手合作方为正道。我们要坚定捍卫以联合国为核心的国际体系，维护国际规则尊严和权威，提升全球环境治理水平。

第三，保持绿色发展，培育疫后经济高质量复苏活力。新冠肺炎疫情对全球经济社会发展造成全面冲击，我们要着眼长远，保持定力，坚持绿色、包容、可持续发展。联合国发布的《2030 年可持续发展议程》为各国发展指明了方向，生物多样性既是可持续发展基础，也是目标和手段。我们要以自然之道，养万物之生，从保护自然中寻找发展机遇，实现生态环境保护和经济高质量发展双赢。

第四，增强责任心，提升应对环境挑战行动力。发达国家和发展中国家处于不同发展阶段，在环境问题上的历史责任和现实能力存在差异。我们要坚持共同但有区别的责任原则，坚持公平公正惠益分享，照顾发展中国家资金、技术、能力建设方面的关切。我们要切实践行承诺，抓好目标落实，有效扭转生物多样性丧失，共同守护地球家园。

主席先生！

“生态文明：共建地球生命共同体”既是明年昆明大会的主题，也是人类对未来的美好寄语。作为昆明大会主席国，中方愿同各方分享生物多样性治理和生态文明建设经验。

——中国用生态文明理念指导发展。从道法自然、天人合一的中国传统智慧，到创新、协调、绿色、开放、共享的新发展理念，中国把生态文明建设放在突出地位，融入中国经济社会发展各方面和全过程，努力建设人与自然和谐共生的现代化。

——中国采取有力政策行动。中国坚持山水林田湖草生命共同体，协同推进生物多样性治理。加快国家生物多样性保护立法步伐，划定生态保护红线，建立国家公园体系，实施生物多样性保护重大工程，提高社会参与和公众意识。过去10年，森林资源增长面积超过7000万公顷，居全球首位。长时间、大规模治理沙化、荒漠化，有效保护修复湿地，生物遗传资源收集保藏量位居世界前列。90%的陆地生态系统类型和85%的重点野生动物种群得到有效保护。

——中国积极参与全球环境治理。中国切实履行气候变化、生物多样性等环境相关条约义务，已提前完成2020年应对气候变化和设立自然保护区相关目标。作为世界上最大发展中国家，我们也愿承担与中国发展水平相称的国际责任，为全球环境治理贡献力量。中国将秉持人类命运共同体理念，继续作出艰苦卓绝努力，提高国家自主贡献力度，采取更加有力的政策和措施，二氧化碳排放力争于2030年前达到峰值，努力争取2060年前实现碳中和，为实现应对气候变化《巴黎协定》确定的目标作出更大努力和贡献。

主席先生！

“山积而高，泽积而长。”加强生物多样性保护、推进全球环境治理需要各方持续坚韧努力。我欢迎大家明年聚首美丽的春城昆明，共商全球生物多样性保护大计，期待各方达成全面平衡、有力度、可执行的行动框架。让我们从这次峰会携手出发，同心协力，共建万物和谐的美丽世界！

在联合国大会纪念北京世界妇女大会25周年高级别会议上的讲话

（2020年10月1日，北京）

中华人民共和国主席　习近平

主席先生，

各位同事：

在联合国成立75周年之际，我们纪念北京世界妇女大会召开25周年，促进性别平等，推动全球妇女事业发展。我对此感到高兴，预祝本次高级别会议取得圆满成功。

妇女是人类文明的开创者、社会进步的推动者，在各行各业书写着不平凡的成就。我们正在抗击新冠肺炎疫情，广大女性医务人员、疾控人员、科技人员、社区工作者、志愿者等不畏艰险、日夜奋战，坚守在疫情防控第一线，用勤劳和智慧书写着保护生命、拯救生命的壮丽诗篇。我们要为她们点赞。

在中国抗击新冠肺炎疫情最紧要的时刻，来自中国全国各地驰援湖北的4万多名医护人员中，三分之二是女性。有一位来自广东省的小护士还不满20岁。记者问她，你还是一个孩子，还需要别人帮助。她回答说，穿上防护服，我就不是孩子了。这段对话感动了整个中国！正是成千上万这样的中国女性，白衣执甲，逆行而上，以勇气和辛劳诠释了医者仁心，用担当和奉献换来了山河无恙。

主席先生！

25年来，北京世界妇女大会精神不断催生积极变化。妇女社会地位显著提高，"半边天"作用日益彰显，性别平等和妇女赋权已成为《联合国2030年可持续发展议程》的重要目标。

新冠肺炎疫情还在全球蔓延，对各国生产生活、就业民生带来了严重冲击，妇女面临更大挑战。正如古特雷斯秘书长所言，过去几十年性别平等领域取得的成果正面临退步风险。在我们抗击疫情和推动经济社会复苏进程中，尤其要关注妇女特殊需要，落实《北京宣言》和《行动纲领》。中国主张：

第一，帮助妇女摆脱疫情影响。要关注一线女性医务工作者身体健康、社会心理需求、工作环境。我们要把保障妇女和女童权益置于公共卫生和复工复产计划重要地位，特别是拓宽妇女就业渠道，打击侵犯妇女权益的行为。我们要强化社会服务，优先保障孕产妇、儿童等特殊人群，格外关心贫困妇女、老龄妇女、残疾妇女等困难群体，为她们做好事、解难事、办实事。

第二，让性别平等落到实处。这次疫情既带来了前所未有的挑战，也提供了深刻反思、重塑未来的机遇。世界的发展需要进入更加平等、包容、可持续的轨道，妇女事业是衡量的重要标尺。保障妇女权益必须上升为国家意志。要以疫后恢复为契机，为妇女参政提供新机遇，提高妇女参与国家和经济文化社会事务管理水平。我们要消除针对妇女的偏见、歧视、暴力，让性别平等真正成为全社会共同遵循的行为规范和价值标准。

第三，推动妇女走在时代前列。在21世纪的今天，开创美好生活离不开妇女事业全面进步，也需要广大妇女贡献更大智慧和力量。要坚持在发展中保障妇女权益，靠发展改善妇女民生，实现妇女事业和经济社会同步发展。我们要扫清障碍、营造环境，最大限度调动广大妇女积极性、主动性、创造性，增强她们的获得感、幸福感、安全感。我们要充分发挥政府作用，广泛调动社会力量，支持和帮助妇女享有出彩的人生。

第四，加强全球妇女事业合作。妇女事业发展离不开和平安宁的国际环境，离不开可持续发展，离不开发挥联合国的重要协调作用。我们支持联合国把妇女工作放在优先位置，在消除暴力、歧视、贫困等老问题上加大投入，在解决性别数字鸿沟等新挑战上有所作为，使妇女目标成为2030年议程的早期收获。我们也支持提高妇女在联合国系统中的代表性。联合国妇女署要丰富性别平等工具箱，完善全球妇女发展路线图。

各位同事！

男女平等是中国的基本国策。中国建立了包括100多部法律法规在内的全面保障妇女权益法律体系，被世界卫生组织列为妇幼健康高绩效的10个国家之一，基本消除义务教育性别差距，全社会就业人员女性占比超过四成，互联网领域创业者中女性更是超过一半。

5年前，我倡议召开了全球妇女峰会，提出了一系列全球合作倡议，已经得到全面落实。我们将继续加大对全球妇女事业支持力度。未来5年内，中国将再向联合国妇女署提供1000万美元捐款。中国将继续设立中国—联合国教科文组织女童和妇女教育奖，支持全球女童和妇女教育事业。中国倡议在2025年再次召开全球妇女峰会。

主席先生！

建设一个妇女免于被歧视的世界，打造一个包容发展的社会，还有很长的路要走，还需要付出更大努力。让我们继续携手努力，加快实现性别平等、促进全球妇女事业发展。

谢谢。

图书在版编目(CIP)数据

习近平在联合国成立75周年系列高级别会议上的讲话/
习近平 著.—北京:人民出版社,2020.10
ISBN 978-7-01-022562-3

Ⅰ.①习… Ⅱ.①习… Ⅲ.①习近平-讲话-学习参考资料
Ⅳ.①D2-0

中国版本图书馆CIP数据核字(2020)第200300号

(RMC-ZJDXI-098-20200921)

习近平在联合国成立75周年系列高级别会议上的讲话

XIJINPING ZAI LIANHEGUO CHENGLI 75 ZHOUNIAN XILIE
GAOJIBIE HUIYI SHANG DE JIANGHUA

人民出版社 出版发行
(100706 北京市东城区隆福寺街99号)

北京新华印刷有限公司印刷 新华书店经销

2020年10月第1版 2020年10月北京第1次印刷
开本:880毫米×1230毫米 1/32 印张:1
字数:14千字

ISBN 978-7-01-022562-3 定价:3.00元

邮购地址 100706 北京市东城区隆福寺街99号
人民东方图书销售中心 电话 (010)65250042 65289539